尊重生命　亲近自然

给热爱科学探索的你

这是_____的书

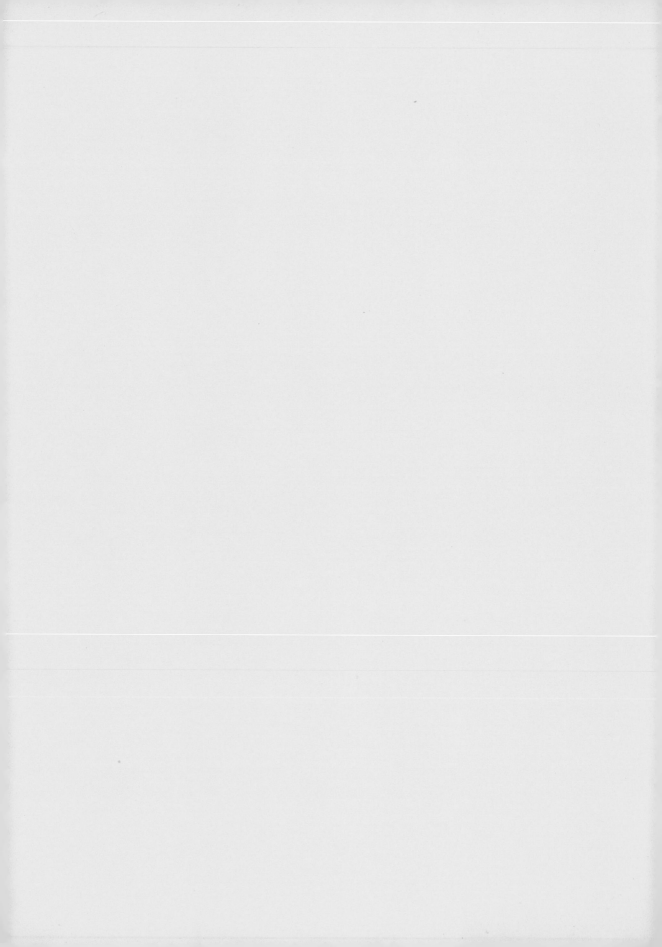

法布尔昆虫记（10）

霸王镰刀手——螳螂

摇篮入侵者——寄生蜂

北京科学技术出版社

『싸움대장 황라사마귀』by Susanna Ko (author) & Se-jin Kim (illustrator)
Copyright© 2003 Bluebird Child Co
Translation rights arranged by Bluebird Child Co.through Shinwon Agency Co.in Korea
Simplified Chinese edition copyright © 2005 by Beijing Science and Technology Press

著作权合同登记号
图字：01-2005-3607

图书在版编目（CIP）数据

霸王镰刀手/摇篮入侵者（韩）高苏珊娜编著；（韩）金世镇绘；李明淑译．
—北京：北京科学技术出版社，2009.10 重印
（法布尔昆虫记系列丛书）
ISBN 978－7－5304－3173－3

Ⅰ．霸… Ⅱ.①高…②金…③李… Ⅲ．昆虫-少年读物 Ⅳ. Q96－49

中国版本图书馆 CIP 数据核字（2005）第 053761 号

霸王镰刀手/摇篮入侵者——法布尔昆虫记（10）

作　　者：	高苏珊娜
责任编辑：	白　林
责任校对：	黄立辉
封面设计：	鹿鼎原
图文制作：	邱晓萍
出 版 人：	张敬德
出版发行：	北京科学技术出版社
社　　址：	北京西直门南大街 16 号
邮政编码：	100035
电话传真：	0086－10－66161951（总编室）
	0086－10－66113227（发行部）　0086－10－66161952（发行部传真）
电子邮箱：	bjkjpress@163.com
网　　址：	www.bkjpress.com
经　　销：	新华书店
印　　刷：	保定华升印刷有限公司
开　　本：	787mm×1092mm　1/16
字　　数：	22 千
印　　张：	7.5
版　　次：	2006 年 1 月第 1 版
印　　次：	2009 年 10 月第 7 次印刷

ISBN 978－7－5304－3173－3/G · 405

定　价：19.80 元

序

中国科学院院士 张广学

　　法布尔先生是一位热爱自然的伟大科学家，也是一位优秀的文学家。19世纪末，杰出的法布尔先生捧出了一部《昆虫记》，世界响起了一片赞叹之声，并且这片赞叹声响彻了100多年，直到今天！

　　法布尔先生写的《昆虫记》非常朴素和优美，他把一部严肃的学术著作写成了优美的散文，让人们不仅能从中获得知识和思想，更能获得一种美的享受，并由衷地产生对大自然深深的热爱！

　　作为一位科学家，一位用心去观察、用爱去体会的科学家，法布尔先生的科学研究是充满诗意的，他从不把昆虫开膛破肚，而是充满爱心地在田野里观察它们，跟它们亲密无间。他用诗人的语言，描绘这些鲜活的生命，昆虫在他的笔下是生动、美丽、聪明、勇敢的，他说他在"探究生命"，要"使人们喜欢它们"。他的心思如同一个孩童般纯真，而他的文笔也像孩童般充满想像力和感染力。他要让厌恶这些小东西的人们知道，微不足道的小小虫儿有着许多神奇的本领，它们勇于接受大自然的考验，要在这个世界上争得生存的空间。

　　北京科学技术出版社出版的这套改编的儿童版《法布尔昆虫记》，让小朋友们换了一个方式来阅读这部科学经典。这套书用简洁的语言、可爱的彩图、活泼的故事情节描绘了法布尔原著中具有代表性的昆虫，讲述它们的生活，展现它们的个性，处处流露出对它们的喜爱。我向小朋友们推荐这套图画本的《法布尔昆虫记》，正是因为它的语言非常简洁优美，每种昆虫形象栩栩如生，十分可爱，小朋友们甚至可以透过文字看到它们的喜怒哀乐，故事情节兼具科学性和趣味性，能够激发小朋友们的阅读兴趣和对大自然的神秘好奇心，培养他们尊重生命、亲近自然、热爱科学探索的精神！

　　最后，希望北京科技出版社能够出版更多更好的儿童科普书，同时也祝愿我国的儿童科普事业蓬勃发展！

张广学

2005.8.26.

永不畏惧的斗士——螳螂

　　记得小时候，在家门口的院子里，我第一次看到螳螂。那时，站在我身旁的妈妈，挥手试图赶走那只螳螂，没想到，螳螂却突然扑上前来，咬伤了妈妈的手背，血立刻从伤口处流了出来，年幼的我吓得尖叫了起来。

　　从那以后，我便认为螳螂是一种非常可怕的昆虫。不过，从一些恐怖电影里经常会出现螳螂这点就能说明，害怕螳螂的人好像不只我一个。

　　螳螂从不惧怕对手，即使是比自己大很多的对手。螳螂之所以能够成为打架高手是有原因的。

　　在昆虫界，每一种昆虫都有自己独特的生存方式。比如说：有些昆虫需要整日忙碌地工作，而也有一些昆虫是吃喝玩乐从不工作。

　　现在，和法布尔先生一同踏上昆虫旅程的最后一站吧！

目录

霸王镰刀手——螳螂

在法布尔先生居住的塞里尼昂村里，
每年到了冬季，到处可以看到螳螂的卵囊。
村民们将这些卵囊称为"梯格诺"，
并用它来治疗冻疮，
但是，他们却不知道这些泡沫状的囊状物
原来是螳螂的卵囊。

村民们相信只要将"梯格诺"切开，

将流出的汁液涂抹在伤口处，便可治好冻疮；

而且，村民们还认为，

"梯格诺"是治疗牙痛的特效药，

即使只是将"梯格诺"带在身边，

牙痛也会自然缓解。

因此，塞里尼昂村的妇女们

在冬季来临之前，

都忙着采集"梯格诺"，然后将其收藏起来。

如果有邻居没有时间采集的话，

他们也会和别人分享珍贵的"梯格诺"，

但是仍会忍不住频频叮咛：

"千万不要弄丢啊！现在已经很难再找到了！"

法布尔先生对于"梯格诺"能够治病的事实

始终抱有怀疑的态度，

不过，他还是常常跟村民们开玩笑地说：

"千万不可以小看这个天然的牙痛药啊！

许多在报纸上刊登广告的药品，

都比不上'梯格诺'有效呢！"

贪吃的斗士

凉爽的秋风染红了绿色的叶子，
昆虫村里荡漾着昆虫们歌唱秋天的鸣叫声。
在一个秋高气爽的早晨，
昆虫们正在举行擂台比赛。
"接下来，下一组参赛者是胡蜂和虎纹蜘蛛！"
只见胡蜂和虎纹蜘蛛
各自使出独门的致命武器——毒针和蜘蛛丝，
小心翼翼地展开了比赛。

昆虫村里的昆虫有很多种类，
如螽斯、蟋蟀、瓢虫、灰蝗虫、长鼻蝗虫、
蜜蜂、巨角锹形虫和螳螂等，
他们都参加了这次擂台大赛。
瓢虫在与蚂蚁的对战中大败而归；
而被毒蜘蛛咬伤的蚂蚱已经昏倒在一旁。
昆虫们混杂在一起，
其中有一个非常引人注目的常胜将军，
他就是螳螂阿棠。

阿棠把那些向自己挑战的昆虫们

打得落花流水。

不仅如此，还将自己的手下败将

一口一口地吞进肚子里。

"还有谁要向螳螂挑战吗？

如果没有挑战者的话，

这次擂台比赛的冠军就是螳螂阿棠！"

大赛裁判长竹节虫大声向大家宣布着。

"嘿嘿！只要是不怕死的家伙，

就尽管上来送死吧！"

阿棠阴森森地笑着说。

这时，有一只体形庞大的蝗虫，

从观众席的角落里走了出来。

"你别以为我会任由你这只

比我瘦小的家伙拿走冠军！"

蝗虫"呼呼"地发出振翅声，

试图威慑自己的对手。

"那只蝗虫的体形比螳螂大多了！
说不定能打败螳螂呢！"
蝗虫在观众热烈的掌声中气势汹汹地走上前来，
而螳螂举起两个前腿静静地站在原地，
那模样就像一个虔诚的教徒在向上帝祷告，
因此，法国人也称螳螂为"祷告虫"，
并以法文中传达神谕的女预言家
曼迪斯（mantis）的名字作为螳螂的学名。
不过，阿棠的前脚并不是真的在祷告，
而是用来致对手于死地的可怕武器呀！

螳螂镰刀般的前脚可以自由伸缩，

平时为了不妨碍行动，

螳螂会将前脚折起来举在胸前，

但是，打架的时候会迅速打开进行攻击。

只见蝗虫一边摇晃着庞大的身躯，

一边虎视眈眈地一步步走上前来。

"终于有挑战者出场了！

这位就是大名鼎鼎的大力士蝗虫先生！

请你们两位光明正大地进行决斗吧！"

蝗虫和螳螂站在擂台中央互相对视着，

螳螂的眼睛闪闪发光，充满着杀机。

阿棠的一对眼睛之间有一定的距离，

能够非常精确地判断猎物的位置，

再加上三角形的头部还可以左右旋转180度，

即使猎物从她的后方出现，她也会马上察觉到。

"哼！这家伙的身体明显比我小，

就连腿和肚子也非常瘦小，

瘦弱得就像会被风吹走似的，

居然还敢妄想拿走今天的冠军？"

螳虫的脸上露出轻敌的表情，

慢慢地朝阿棠靠了过去。

"嗯，这家伙的身材确实巨大，

我可不能掉以轻心啊！

看来，还是不要先主动出击，

先吓一吓他再说吧！"

阿棠决定以虚张声势的方式先吓吓蝗虫。

只见阿棠突然展开前后宽大的翅膀，

并把两只前脚高高地举在胸前，

还将腹部的翅膀互相摩擦发出"嗖嗖"的声音，

使自己看起来就像一个妖魔鬼怪一样可怕，

阿棠想以此来威胁巨大的蝗虫。

事实上，每当螳螂遇到比自己巨大的对手时，

总会摆出这种姿势来威慑对方，

使对方不敢做出进一步的攻击。

"这……妖怪，这家伙是妖怪吧！"
蝗虫看到阿棠恐怖的形象，
早已吓得全身发软，不知所措地愣在原地，
接着，便小心翼翼地向旁边挪动脚步。
阿棠的头也随着蝗虫的脚步，慢慢地转了过去，
这时蝗虫就像被施了催眠术一样，
不由自主地走到阿棠的面前。

受到极度惊吓的蝗虫，

居然连逃走的念头都没有了。

就在这时，阿棠迅速伸出前腿，

狠狠地钩住了蝗虫的身体。

"啊！我……我该怎么办呢？"

阿棠那对带着锯齿的前腿，

已经牢牢地插入蝗虫的身体里，

任凭蝗虫再怎么拼命地挣扎，

仍然无法逃出阿棠的魔爪。

螳螂的前腿长有许多锯齿状的尖刺，

一旦抓到了猎物，无论如何都不会松开；

而且前腿共有4个关节，

尤其最后一个关节又长又有力，

可以像弹簧一样快速伸出和缩回。

另外，前腿末端上还有个尖锐的硬钩，

可以刺穿大多数昆虫的坚硬外壳，

这些都是阿棠制胜的有力武器。

"啊！好痛啊！求求你放了我吧！我认输了！"

不管蝗虫怎样苦苦地哀求，

阿棠都装作没听见，丝毫不放松。

此时，阿棠缩回了用来威胁蝗虫的翅膀，

恢复成原来的姿势，

开始一口一口慢慢地咀嚼蝗虫，

最后，可怜的蝗虫只剩下一对干硬的翅膀。

螳螂一旦捕捉到猎物，从来不会轻易丢掉，

而且她的食量大得惊人，

她会用尖利的大颚把猎物吃得一干二净。

"喂！螳螂选手，

你不要把对手全部吃掉啊！

这里是擂台比赛，不是残忍的战场！"

竹节虫裁判向阿棠提出抗议，

只见阿棠一步步逼向竹节虫裁判，

在场的昆虫们看到这幅情景，

一个个屏住呼吸，不知道会发生什么事情。

说时迟，那时快，阿棠伸出"大镰刀"一把抓住了竹节

虫，

她的动作实在是太快了，

竹节虫连喊救命的时间都没有，

甚至有的昆虫都没有看清楚阿棠是怎样出手的。

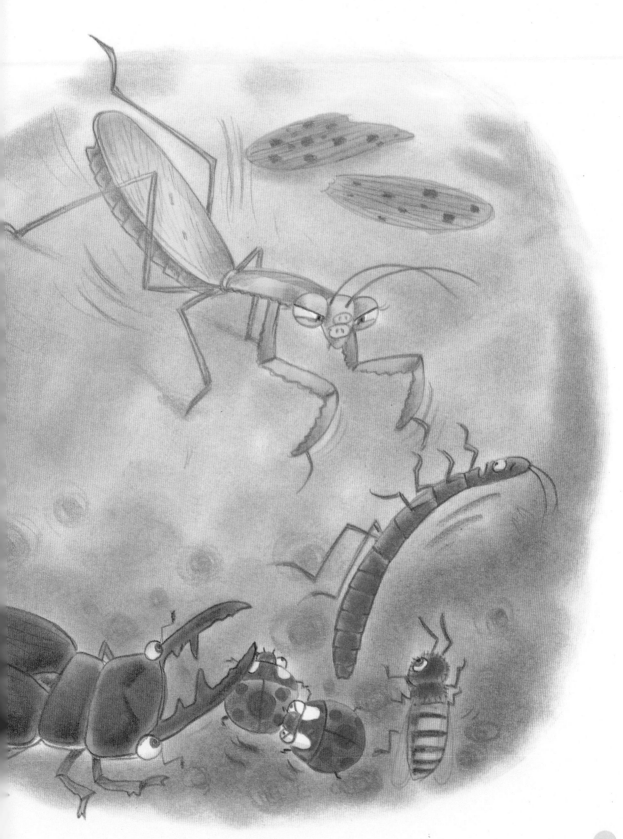

当螳螂发现猎物走近时，

会以迅雷不及掩耳的速度攻击对方。

事实上，螳螂在捕猎之前，

只是静静地站在原地而不会挪动身体，

可是，他的眼睛和头部会随着猎物转动，

紧盯着对方的一举一动，

在瞬间伸出前腿将猎物抓住。

接着，阿棠一口咬住了竹节虫的脖子，
螳螂首先攻击的目标就是猎物的颈部。
她用一只前腿握住猎物的腹部，
而另一只前腿则按住猎物的头部，
然后用力咬住猎物颈部的神经，
这样，猎物就会全身瘫痪，
而变得没有一点儿反抗能力了。

阿棠居然连竹节虫裁判也吃掉了，

"真是可怕的家伙啊！

看来，似乎没有昆虫能够打得过她！"

"那家伙不但是打架高手，而且还是个贪吃鬼呢！

吃掉了所有的挑战者还不够，

现在竟然连裁判也吃掉了！"

观众席上的昆虫们开始议论纷纷，

"趁她吃掉我们之前，赶快离开这里吧！"

"对啊！对啊！她的胃口好大呀！

看她那样子还没有吃饱呢！"

现场的昆虫们立刻一哄而散。

恐怖的结婚典礼

现在的擂台场地里，
只剩下被阿棠吃掉的昆虫残骸。
虽然大家对阿棠的行为感到十分恐惧，
但是，其中却有一只昆虫正欣赏地看着阿棠，
他就是雄螳螂"阿郎"。
"哇，这位小姐真是既勇敢又可爱啊！"
阿郎已经被阿棠迷得神魂颠倒，
于是，他情不自禁地展开翅膀，飞到了阿棠面前。

身体瘦长的雄螳螂

和雌螳螂的习性完全不同。

阿郎的食量并不像阿棠那么大，

由于他只需摄取少量食物就能满足基本的能量需求，

所以只要偶尔吃一些苍蝇或小蝗虫就足够了，

而且，他也不像阿棠那么爱打架。

阿棠的翅膀是为了威慑对方所用，

而阿郎的翅膀只有在飞到雌螳螂身边时才会用，

虽然不能像蝴蝶那样自由自在地飞行，

但也能飞上四五米远的距离，

在草丛里飞来飞去寻找雌螳螂。

勇敢可爱的螳螂小姐，
请你接受我的爱吧！
只要能和你在一起，
任何敌人我也不怕！
什么样的困难也难不倒我！

你是最棒的战斗士！
你是最厉害的昆虫盟主！
只要能和你在一起，
什么样的美食都可以享用！
我亲爱的，螳螂小姐！

阿郎一边唱着求爱歌曲，

一边轻轻地飞下来停在了阿棠面前。

"阿棠小姐，我已经情不自禁地爱上你了！

请你接受我的求婚吧！"

阿郎挺起了胸膛，大胆地向阿棠示爱。

阿棠一脸不屑地瞪着阿郎，
自言自语地说道：
"哼！自掘坟墓的家伙！
真是找死，想试一试吗？"
阿郎见阿棠没有任何反应，
只好再次走到阿棠身边，
展开翅膀使劲拍打了好一阵儿。
然后，他小心翼翼地爬到阿棠的背上，
用尽全力牢牢地抓住阿棠的脖子。
这个姿势需要保持很长时间
才能完成交配，
有时甚至长达五六个小时以上。
终于完婚的阿郎兴奋得不得了。
但是，这种兴奋是短暂的，
因为，还没等交配结束，
阿棠已经将阿郎的头部咬掉了。

每当到了螳螂交配的季节，

常能看到没有头的雄螳螂和雌螳螂进行交配的场面。

"你可别说我太残忍啊！

这都是为了我们的孩子啊！

所以，你也不要觉得很委屈！"

当阿棠与阿郎交配完后，

阿棠马上一口接一口地吃掉了阿郎。

躲在一旁偷看这情景的小螽斯，

慌慌张张地逃回昆虫村，

向昆虫们讲述那个恐怖的情景。

"天啊！怎么会有那么邪恶的昆虫啊！

竟然连自己的丈夫也吃掉了！"

"螳螂真是个可怕的昆虫，
听说，即使有足够多的食物，
同类之间还是会互相残杀！"
"还有，他们只喜欢捕食活的昆虫，
看来，我们最好是离她远一点儿！"
昆虫们只要一见面，
就不停地说着阿棠的事情。

有一天，住在邻村的椎头螳螂来到昆虫村，

昆虫们看到椎头螳螂吓了一跳，

连忙躲了起来。

"就是那个残忍的螳螂！"

"说不定会把我们全部吃掉！

还是赶紧躲起来吧！"

椎头螳螂的外表非常奇特，

一双又细又长的眼睛明显向外突出，

而且两眼之间还长了一根三角形的角，

从侧面看就像是戴着魔法帽的魔法师。

"嘿！你们等一下，我虽然长得有些奇怪，

但是我并不像其他螳螂那么可怕！

我的食量很小，而且也绝对不会吃掉自己的丈夫，

我是非常温顺的螳螂！"

椎头螳螂的身上有着

淡绿色、白色和紫红色的彩色斑纹，

看起来非常美丽，

但是，昆虫们根本不相信她的解释。

其实，椎头螳螂说的都是实话，

就算把几只椎头螳螂关在一个狭小的空间里，

他们也决不会互相争吵或打架；

而且，他们的食量非常小，

每天只需要吃一只苍蝇那么大的昆虫就可以了。

"嗨！难得过来找大家玩儿！
这都是其他螳螂的错，
害得大家产生误会，
认为我也是个残忍的家伙！
下次让我看到她，
一定好好教训教训她，
让她尝一尝我的三角剑的厉害！"
椎头螳螂说着大话离开了昆虫村。
虽然椎头螳螂表面上装出一副愤愤不平的样子，
但是，她的心里却很害怕遇到其他螳螂，
尤其是怀孕的雌螳螂，
她们是特别凶残的。

无情的螳螂妈妈

没有亲朋好友的阿棠，
每天都过着孤零零的生活。
她成了昆虫村里人见人怕的昆虫，
而且还要受到其他昆虫们的排斥和谩骂，
不过，向来独来独往的阿棠，
根本不在乎别人的看法。

想骂就尽管骂吧，
我才懒得理会你们！
我是个凶猛的斗士，
我是个出了名的贪吃鬼！
我什么都不怕，
不论是谁都斗不过我！

想骂就尽管骂吧！
只要是活着的昆虫，
就会统统被我吃掉！
我是什么都吃的贪吃鬼，
就连丈夫都不放过，
就算同伴也敢吃掉。

对啦！对啦！我很残忍！
没错！没错！我是坏蛋！
那又怎么样呢？
我是昆虫霸王——螳螂！

阿棠抚摸着因怀孕而隆起的肚子，

自言自语地说道：

"我也不是无缘无故就变成打架高手和贪吃鬼呀！

如果不这样的话，怎么能产下如此多的卵呢？"

到了凉风习习的秋天时，

阿棠开始准备产卵，

她最喜欢在阳光普照的干树枝、

葡萄树根或石头上产卵。

"好像这里还不错！"

阿棠先在干树枝上产下了第一个卵囊，

接着，又移到旁边的石头上产下第二个卵囊，

然后，又在旁边产下了第三个卵囊。

她足足用了两个多小时，才产完了卵。

第一个卵囊和第二个卵囊的大小相似，
但是第三个卵囊
只有前两个卵囊的一半大。
阿棠产下的前两个卵囊每个里面约有 400 多个卵，
就连最小的第三个卵囊里也有 200～300 个卵。
卵囊长约 4 厘米，宽约 2 厘米，
刚产下来的椭圆形白色卵囊，
会随着时间的推移慢慢变成麦穗的颜色。
阿棠看着千辛万苦产下来的卵囊说：
"寒冷的冬天马上就要到了，
孩子们在温暖的卵囊里什么都不用担心，
因为，厚厚的卵囊会保护你们的！"

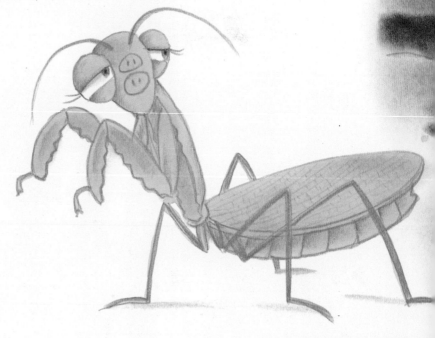

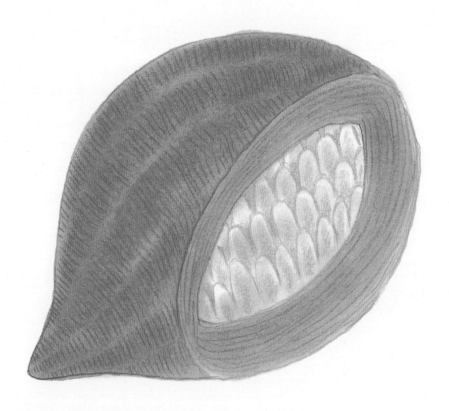

螳螂的卵被包裹在泡沫状的卵囊里，

这个泡沫状的卵囊，

除了可以保护卵避免受到外界的伤害，

而且还能够抵挡冬季的寒风。

那一层层的泡泡就像棉被一样，

使卵囊保持温暖，不让寒风渗透进去。

虽然卵囊的外壳非常坚硬，

但是，它的表面上有很多细小的缝隙，

方便孵化完成的小螳螂爬出卵囊。

"妈妈现在要离开你们了！
当你们从卵里孵化出来以后，
就要学会自己照顾自己了！
没有任何昆虫能够帮助你们，
蚂蚁会吃掉你们，
蝗虫、螽斯、蚱蜢都想吃你们，
小鸟和蜜蜂也会把你们当成猎物！
千万不要像妈妈的兄弟姐妹一样，
白白丢掉了宝贵的生命。"
阿棠不由自主地想起了自己小时候的事情。

阿棠小时候常常看到自己的兄弟姐妹

遭到其他昆虫的残害，

就连自己也有过好几次差点儿被吃掉的经历。

所以，阿棠为了保护自己，

便在每一次的蜕皮后，

努力让自己变得越来越强悍。

"你们中间能够像妈妈一样

真正长成成年螳螂的幸运儿应该不多，

不过，妈妈也不希望大家全部顺利长大，

因为只有真正的强者，才能长成成年螳螂。

至于那些比较软弱的孩子们，

就算被其他昆虫吃掉也没有办法。

毕竟，能够躲避敌人的攻击，

勇敢存活下来的小螳螂，

将来才能成为真正的斗士，

才能成为这片树林里的昆虫霸王！"

说完，她头也不回地离开了。

这时，碰巧在附近草丛里玩耍的蝗虫
发现了阿棠的卵囊，
"咦？这个硬硬的东西是什么？"
蝗虫好奇地过去坐在了卵囊上。
但是，阿棠并没有回去保护自己的卵囊，
反而径直跳进了草丛里。
等到温暖的春天来临时，
卵囊里就会陆续孵化出许多小螳螂来。
当然，正如阿棠先前所说的，
大部分小螳螂会被其他的昆虫吃掉，
但是，存活下来的小螳螂们，
一定会像他们的妈妈一样，
成为无情而残忍的斗士和贪吃鬼，
并称霸这个昆虫村。

摇篮入侵者——寄生蜂

法布尔为了观察朗格多克飞蝗泥蜂捕猎螽斯的过程，
在森林里四处寻找朗格多克飞蝗泥蜂的踪迹，
但是，每次都是辛苦了半天却一无所获。
没想到，20年后的某一天，
法布尔的儿子埃米尔竟然发现了朗格多克飞蝗泥蜂的踪迹，
法布尔闻讯高兴极了，迫不及待地跑到现场观察。

正如埃米尔所说，
果然有一只体形巨大的朗格多克飞蝗泥蜂
正拖着麻醉好的螽斯在路上行走。
法布尔先生正是有了儿子的帮助，
才能够亲眼目睹朗格多克飞蝗泥蜂捕猎螽斯的过程。

此外，法布尔先生还研究了一些
喜欢不劳而获的昆虫们的习性。
法布尔先生经过长期的观察与研究，
发现像青蜂、双刺蚁蜂、食蚜蝇和卵蜂等昆虫，
专门在其他昆虫辛苦得来的食物
或它们的幼虫身上产卵。
例如，当别的昆虫正在勤奋地工作时，
平常只顾着梳妆打扮的青蜂，
会偷偷地溜进铁爪泥蜂的巢穴里，
在她的卵旁产下自己的卵，
让自己的幼虫吃着铁爪泥蜂的幼虫长大。
一生从事昆虫研究的法布尔先生告诉大家一个事实，
并不是所有的昆虫都在勤奋地工作，
昆虫世界里也有一些昆虫是不劳而获的寄生虫。

是笨蛋还是天才？

在一个晴朗的午后，
有一只巨大的朗格多克飞蝗泥蜂"盈盈"
正在草丛里打猎。
"今天一定要抓住一只螽斯才行……"
盈盈一边翻着草丛，一边仔细地寻找螽斯的身影。
"啊！找到了！"
盈盈发现了一只正在开心唱歌的螽斯，
她立刻扑了上去，一把抓住了螽斯的脖子。
"哎呀！尊敬的朗格多克飞蝗泥蜂小姐，
求你饶了我吧！我是只雄螽斯呀！"
"咦？真是雄螽斯啊！我才不要雄的呢！
快给我滚开！"
盈盈一脚踢开了那只惊慌失措的雄螽斯。

盈盈只喜欢捕猎怀孕的雌螽斯，
因为怀孕的雌螽斯营养特别丰富。
盈盈接着在草丛里找来找去，
终于发现了一只过于肥胖而动作迟缓的螽斯，
这次，盈盈一眼就确定那是只怀孕的雌螽斯。

"嗯，这家伙还真够肥的！"
盈盈迅速地扑向雌蟊斯，
狠狠地咬住了蟊斯马鞍似的胸部，
然后，她弯起尾部将毒针刺向蟊斯胸部，
紧接着，又在蟊斯的颈部刺了一针，
这一针麻醉了蟊斯胸部的第一神经节。

被麻醉的蠡斯很快就不能动弹了，
任凭盈盈翻过来倒过去，全然没有反应，
不过，她只是昏迷并没有死掉。
"我怎么了？我的身体怎么不能动了……"
蠡斯的两根触角在不停地颤抖着，
她试图移动身体，但怎么也不能动弹了，
尤其是她的腿，简直就像瘫痪了一样。

其实，盈盈并没有把蟊斯蜇死，

她只是麻醉了蟊斯身上的运动神经，

除了神经被麻痹以外，

蟊斯的身体并没有其他问题。

被盈盈麻醉的蟊斯会一直活到被幼虫们吃完，

比正常的蟊斯活得还要久一些。

可是，照常理推断，

健康的昆虫应该活得更长，

但事实却正好相反，

由于被麻醉的昆虫不需要消耗体力，

因此，只需要一点点的能量就可以存活很久。

由于蟊斯被麻醉后根本无法动弹，

所以不会伤害朗格多克飞蝗泥蜂的幼虫。

"好了！现在就跟我一起回家吧！
你很快就要成为我的小宝宝的大餐了！
而且，你已经被麻醉得不能活动了，
一定能活很长时间，
这都是为了让我的小宝宝吃上新鲜的食物。
被我麻醉的家伙真是最佳选择啊！"
如果一只健康的螽斯
被拖进朗格多克飞蝗泥蜂的洞穴，
会发生什么样的事情呢？
由于健康的螽斯非常好动，
所以，很快就会耗尽身上的能量，
以至于活不过四五天就会死掉并开始腐烂。
朗格多克飞蝗泥蜂虽然没有学过生物学，
但是它却具有与生俱来的判断力，
简直就是天才生物学家。
只见盈盈咬住螽斯的触角，
向后倒退着拉着螽斯走。

嘿哟！嘿哟！
我是聪明的天才学者！
把猎物麻醉后拉回家去！
我非常清楚，
被麻醉的昆虫能长时间保鲜！

嘿哟！嘿哟！
我是强壮的大力士！
可以拖着巨大的猎物前进！
咬住细细的触角，
能够爬上陡峭的斜坡路！

兴高采烈地拖着猎物前进的盈盈
突然停下了脚步，
她发现了一只螳螂正躲在路旁，
那只螳螂摆出一副祈祷的姿势，
正等待猎物的出现。

"哼！那家伙是不是

把我和我的战利品都当成自己的猎物了？

门儿都没有！"

盈盈一边瞪着螳螂，一边继续拖着蠡斯前进。

她勇敢地经过螳螂那边的草丛旁，

并故意对那只虎视眈眈的螳螂大喊：

"喂！你应该知道我的毒针有多厉害吧！

如果你胆敢攻击我，我将和你一决胜负！"

盈盈不停地用犀利的目光威胁着螳螂。

"如果再靠近一些就好了！

我就可以用我的镰刀一把抓住她！

但是，朗格多克飞蝗泥蜂是个非常厉害的家伙！"

就算螳螂再怎么喜欢打架，

也不想主动攻击凶巴巴的朗格多克飞蝗泥蜂。

所以，盈盈才能够安然无恙地

从螳螂的眼皮底下溜过去。

"哈哈哈！我是既聪明又勇敢的朗格多克飞蝗泥蜂！
谁也不敢攻击我和我的食物！"
盈盈感到心情舒畅，脚步也加快了许多，
正当盈盈快要抵达洞穴附近时，
有一个戴着帽子的小男孩发现了她的行踪。
"咦？小蜂在拖着大螽斯走啊！真奇怪呀！"
小男孩盯着盈盈，
突然想搞个恶作剧来逗一逗这只蜂。

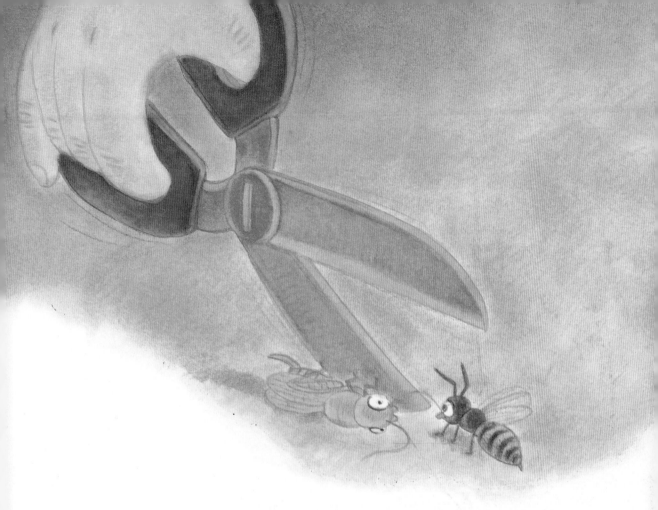

男孩从口袋里掏出小剪刀，
剪断了盈盈拉着的螽斯的触角。
"咦？这是怎么回事？
猎物怎么突然变轻了？"
突如其来的遭遇使盈盈不知所措，
"哎呀！螽斯的触角断了！
算了！看来只能拉着颚须走了！"
盈盈咬住了触角旁的颚须，
继续往前拉着螽斯前进。

"嘻嘻嘻！真是好玩儿！

再让这家伙尝尝我的厉害！"

那少年将螽斯的颚须也给剪断了。

"今天真是奇怪呀！"

盈盈一边自言自语，

一边寻找另一个可以咬住螽斯的部位，

可是，盈盈找了半天也没有找到合适的地方，

于是只好试图咬住螽斯的头部，

但是螽斯的头部又圆又滑，

而且比盈盈的嘴巴大了许多，

根本没有办法一口咬住。

"嗨！怎么这么滑呀！真是伤脑筋啊！"

盈盈气得用后脚不停地搓着翅膀，

然后再用前脚抚摸着自己的头部，

她看起来失望而又无奈。

小男孩看到这幅情景，

感到有些过意不去，

便拿起螽斯的腿递给盈盈。

"这里有6条细长的腿可以咬啊!

你不要一直想着咬蠹斯的脑袋,

这些腿不是更好咬吗?"

少年给盈盈看了看蠹斯的腿,

但是,盈盈根本不理睬那个男孩。

"即使是千辛万苦得到的食物,

如果没有了触角和颚须,

就没有办法拖回家了!"

虽然盈盈心里非常舍不得,

但是仍然决定放弃眼前这只蠹斯。

"你这个愚蠢的家伙!

怎么可以这么轻易就放弃辛苦得来的食物呢?

只要咬住她的腿就可以了,

你怎么就想不到呢?

除了触角和颚须以外,

为什么不试一试其他部位呢?

你真是个笨蛋!"

小男孩朝着离开蠹斯飞上天空的盈盈大喊着。

幸好，盈盈很快又抓到了另一只雌螽斯，
她在雌螽斯的胸部和脖子上各蜇了一针之后，
便将昏迷不醒的螽斯拖到了一块沙地上。
朗格多克飞蝗泥蜂通常会在沙地
或老房子破损的墙缝里挖洞，
而且通常是先抓到猎物以后才去挖洞穴。
"先把房间打扫干净吧！"
盈盈把螽斯放在洞穴口，
径直走进洞穴里检查洞内的情况。

"差不多了！房间很干净，墙壁也很坚固！"
盈盈将螽斯拖进了洞穴，
然后，在螽斯的腹部上产下了卵。
"我的宝贝，你一定要健康成长啊！
妈妈给你准备了最新鲜的螽斯，
为了你不受外界的干扰，
妈妈还会将洞口封锁好！"

从洞穴里爬出来的盈盈，

开始进行封锁洞口的工程。

她先用后脚用力地扫平了洞口前的灰尘和土，

使得周围扬起了厚厚的沙尘。

"一定要做一个坚固的盖子！"

盈盈用大颚挑选了几块石子，

盖在了洞口，

这样，谁都不会找到和破坏幼虫的房子了，

盈盈建成了一个既隐蔽又坚固的密室。

不过，如果在盈盈忙着封住洞口时

偷偷把洞穴里的蠹斯挖出来的话，

会发生什么情况呢？

当盈盈发现蠹斯和卵都不见踪影时，

又会有什么反应呢？

即便是这样，盈盈还会继续认真地封住洞口。

朗格多克飞蝗泥蜂并不在乎自己捕来的猎物是否丢失，

它们只会努力地完成自己应该做的事情，

会按捕猎、产卵以及封住洞口的顺序，

按部就班地工作下去。

它们并不是为了食物和卵才封住洞穴的入口，

它们只知道自己必须按照这样的顺序工作。

其实，没有了食物和卵的洞穴，

已经不需要再去封住其入口。

有时比人类还要聪明的昆虫，

在某些方面又让人觉得它们非常愚蠢。

"现在终于完成了！真是不寻常的一天啊！"

封好洞口的盈盈，

一边飞上天空，一边在心里称赞着自己：

"我真是一个天才昆虫啊！"

不劳而获的昆虫

太阳直射着一片像沙漠般荒凉的小丘陵，
在这片丘陵上，有一个昆虫村，
无数的蜂类和其他昆虫们都聚居在这里。
蜂类的家在村子的角落里，
那里有节腹泥蜂、细腰蜂、铁爪泥蜂、蜜蜂和花蜂等，
他们在这里过着和睦的生活。
在小丘陵上还住着各种狩猎蜂的幼虫们喜欢吃的昆虫，
有象鼻虫、苍蝇、蝗虫、蜘蛛等。

有一天，蜜蜂村里搬来了几只青蜂，
她们长得非常美丽，
"大家好！我们是刚刚搬到这里的青蜂，
很高兴认识你们！"
青蜂们一边展示着自己如宝石般闪亮的身体，
一边向其他蜂类介绍自己。

有的青蜂身体呈粉红色和紫色，

有的青蜂是蓝色和金色，

有的青蜂则有着玻璃般晶莹剔透的胸部。

真是一个美丽耀眼的蜂群啊！

大家一边打量着青蜂，

一边嘀嘀咕咕地小声议论着：

"我们得特别小心新搬来的这些家伙们！

还记得上回蚁蜂干的好事吗！

当初大家还以为他是一只蚂蚁，

没想到被他给骗了，

结果损失了好多幼虫呢！"

蚁蜂是一类身上有红色条纹和绒毛、

酷似胖乎乎的多毛蚂蚁的昆虫，

他们用触角摸索隐蔽的蜂窝角落，

寻找可以用来产卵的蜂的幼虫。

"你说得没错！奸诈的蚁蜂还守候在蜂巢外面，

等我们离开蜂巢以后，

再偷偷溜进去在我们的幼虫身上产卵。"

年长的老蜂想着过去的事情，

对这群陌生的蜂类心存戒心。

但是，大部分的小蜂们却不以为然地说：

"你们看一看那美丽的身体吧！

蓝色和金色多么高贵多么绚丽呀！

真是太迷人了！"

"是啊！是啊！看起来如此美丽、如此有品位的青蜂，

怎么能和丑陋的蚁蜂相提并论呢？

蚁蜂是个没有完全进化的低级蜂类，

而青蜂则是蜂类里最美丽的皇后啊！"

年轻的石蜂也早已被美丽的青蜂迷得神魂颠倒，

连忙点头赞同其他小蜂们的意见。

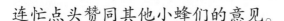

"你们不能只注重外表，
要多提防陌生的面孔！"
年长的老蜂好心提醒大家，
但是却没有人把他的忠告放在心上。
因此，青蜂们便安心地在昆虫村里
过起舒服快乐的日子。
不过，正当大家为了养育幼虫
全都努力地盖着蜂巢或是挖着洞穴时，
青蜂们却整天游手好闲，无所事事。

"青蜂，难道你不需要养育幼虫吗？
你应该去捕猎幼虫的食物才行啊！"
住在隔壁的蜜蜂好奇地问青蜂。
"我啊？我每天忙着打扮自己，
还没有时间去做那些事情，
不过，你们不用担心我，
我比谁都有信心养好自己的幼虫！"
青蜂非常自信地对邻居们说着大话。

事实上，青蜂的习性
和天性勤劳的蜜蜂很不同，
她们是一群既懒惰
又喜欢不劳而获的昆虫。
所谓"不劳而获"，
就是指她们会在其他昆虫辛苦得来的猎物，
或是在其他昆虫的幼虫身上偷偷产卵，
好让自己的幼虫吃着其他昆虫的猎物或幼虫长大。

所以，青蜂妈妈们什么事情也不用做，
只要找到合适的食物或幼虫产卵就可以了。
像青蜂、蚁蜂、食蚜蝇、
褶翅小蜂和卵蜂等昆虫，
都是不劳而获的寄生昆虫。

人们常说应该像蜜蜂一样辛勤劳动，
其实，蜂类里也有很多不劳而获的寄生蜂。
当其他蜂类都忙着产卵的时候，
青蜂还是过着游手好闲的日子。

要怎样形容我的美丽呢？
绿宝石、红宝石、蓝宝石、钻石？
我是会飞的宝石！
我是世界上最美丽的蜂！

我怎么会如此美丽呢？
犹如披着丝绸，还有绚丽的围巾，
我的全身上下都是华丽的装饰品！
我是世界上最华丽的蜂！

青蜂一边照着镜子，一边赞叹着自己的美丽，

"没错！像我这样漂亮的蜂，

为什么需要整日拼命工作？

对于我们这种高贵的青蜂，

打扮自己可是比无聊的工作更重要啊！

活着一定要有品位才行！"

正当青蜂懒懒地睡着午觉的时候，

铁爪泥蜂的卵已经在沙丘下的巢穴里发育成了幼虫。

"现在又该出去给小宝宝找美味的食物了！"

于是，勤劳的铁爪泥蜂开始为宝宝捕捉昆虫大餐。

"看来我也该产卵了！

嗯，找谁的巢穴比较合适呢？

对啦！还是勤快的铁爪泥蜂的巢穴比较好吧！"

青蜂打好如意算盘，

便飞到了铁爪泥蜂的巢穴入口。

这时，恰好铁爪泥蜂打开了入口的盖子，

拖着昆虫大餐进去给自己的幼虫喂食。

"你好！铁爪泥蜂！"

"青蜂，最近还好吗？

找我有什么事吗？"

"没什么！只是想看一看你的房子！

我可以进去吗？"

铁爪泥蜂还没有来得及回答，

青蜂已经溜进了她的巢穴里。

其实，每当铁爪泥蜂离开巢穴的时候，

都会仔细地封住巢穴入口，

防止其他昆虫闯入。

但是，青蜂居然懒到
连铁爪泥蜂洞口的盖子也不愿意自己打开，
所以，趁着铁爪泥蜂在洞穴里时，
也就是说，趁洞口开着时溜进去。
虽然青蜂的身体比铁爪泥蜂娇小，
但是她一点也不怕铁爪泥蜂的毒针，
因为青蜂知道铁爪泥蜂并没有看穿自己的阴谋。

"哇！好漂亮的小宝宝啊！"
青蜂一边称赞铁爪泥蜂的幼虫，
一边偷偷地产下了自己的卵。
"那么，我们下次再聊吧！"
青蜂迅速地从铁爪泥蜂的巢穴里爬了出来。
等到青蜂的幼虫从卵里孵化出来以后，
便会吃着铁爪泥蜂的幼虫而长大。
若是在第二年的春天挖开铁爪泥蜂巢穴的话，
就会发现里面有一个棕红色的蛹。

这个棕红色的蛹，

形状就像一个杯子，

杯子的开口处还有一个平平的盖子，

这就是青蜂幼虫的蛹。

至于铁爪泥蜂的幼虫，

早已经被青蜂幼虫吃掉，只剩下一层外皮。

青蜂就是这样不费吹灰之力养育自己的幼虫。

其中，有一只青蜂以黑胡蜂作为攻击的对象，
但是要等到黑胡蜂在岩石上盖好一座
由许多房间构成的圆顶蜂巢
并且当黑胡蜂的幼虫转变成蛹后，
青蜂才会展开偷袭行动。
黑胡蜂的蜂巢表面非常致密，
但是，青蜂会将针状的产卵管插入缝隙中产卵，
等到第二年的春天时，
黑胡蜂的蜂巢里小杯子状的蛹里就会孵化出青蜂来，
也就是说，黑胡蜂幼虫早已变成了青蜂幼虫的食物
了。
在其他昆虫的巢穴里偷偷产完卵的青蜂们，
正轻松悠闲地在昆虫村里散步，
这时，她们遇到了正在寻找石蜂窝的脐蜂。

脐蜂一脸不屑地问：

"你们这些懒惰的家伙！

看样子已经在别人的家里产卵了吧！"

"哼！谁说我们懒惰？

你还不是和我们一样只会不劳而获，

少在那边自命清高吧！"

青蜂们听了脐蜂的话突然大发脾气。

"我跟你们才不一样呢！

虽然我也很喜欢玩乐，

至少我比你们勤快呀！

我为自己的小宝宝付出了很多心血。"

"哼！既然要吃喝玩乐，当然要彻底享受了！

谁会像你做那些徒劳无功的事情！

你这个愚蠢的家伙！"

青蜂们嘲讽着脐蜂，转身飞走了。

"哼！我才不和你们同流合污呢！
我属于勤劳的蜂类，
最讨厌这些游手好闲的青蜂了！"
脐蜂继续四处寻找石蜂的蜂巢，
过了很久才终于找到。
"石蜂的蜂巢盖得真坚固啊！
不过，我还是有办法钻进去！"
脐蜂仔细地查看蜂巢上的每一个角落，
但是，却找不到可以钻进去的缝隙。

石蜂的蜂巢非常坚固，并且里面有很多房间，
每个小房间之间还有一层用来保护幼虫的保护墙。
于是，脐蜂只好在岩石般的墙壁上挖洞，
只见她不停地挖起一粒粒沙子，
墙壁上开始出现小小的缝隙，
当脐蜂挖好一个刚刚能让自己通过的小洞时，
眼前却出现了另一道墙，
这就是石蜂的幼虫们居住的房间外墙壁。
"啊，真累呀！
不过为了自己的小宝宝，这点苦根本算不了什么！
石蜂不也是为了自己的小宝宝，
才盖了一个这么坚固的房子吗？"
脐蜂开始咬碎保护墙，
没想到，用石灰砌成的石蜂房子，
比水泥墙还要坚固，
所以，脐蜂用嘴巴钻开石蜂的蜂巢，
需要花许多力气和时间。

钻开保护墙以后，

还需要在装有花蜜的小房间上继续钻洞。

费了九牛二虎之力才钻完洞的脐蜂，

在石蜂的卵旁产下了自己的卵。

"小宝宝啊！快快长大吧！

为了不让其他的昆虫闯进来伤害你，

妈妈离开时会堵住刚刚钻开的小洞。"

脐蜂开始努力地将自己先前钻开的小洞重新封上。

她封洞的技术一点也不输给石蜂，

她用和好的泥土小心翼翼地把洞口填好，

那情形简直让人怀疑

这里曾经来过她这个破坏蜂巢的入侵者。

当然，脐蜂使用的材料和石蜂不同，

所以，重新封好的洞口颜色和原有的墙壁颜色不太相同。

"终于完成了！真是个不简单的工程啊！

小宝宝啊！妈妈希望你健康成长！

虽然我们也喜欢占人家便宜，

但是你要记住，

至少我们不是什么都不做的懒惰鬼！"

脐蜂温柔地叮嘱了几句后，

拖着疲惫的身体，离开了那里。

穿越时空系列 （12本 全彩） 穿越时间长河的神秘之旅

《穿越时空》系列图书是英国ORPHEUS图书有限公司出版的英文系列图书的中文版。每一本书都讲述一个主题，如城堡、火山、恐龙、交通、金字塔等等。翻开每本书都像经历一次旅行，但这绝非普通的旅行，而是一次穿越时间长河的旅行。每翻过一页，时间就向前跳跃几天、几年、几个世纪，甚至数万年。每个时刻——也就是旅行中的每一站，都是相关主题的一个篇章。

★ **科学性** 每本书都以时间为主线，通过细致入微的手绘和通俗严谨的语言讲述各个主题的历史变迁。每一页都有标示时间的"拇指索引"，显示宏大场景的图中还有很多名词术语的标注。书后还附有名词解释和索引，方便小读者们检索和查询。

★ **趣味性** 《穿越时空》系列书不像通常意义的历史书或科普书那样单调乏味，设计者运用了很多细节来增强趣味性。主题单纯，容易让你专心探究；以时间为序，让你有穿越时空的探秘兴趣。每本书每幅画面上都有一个角色作线索，且角色与画面场景融合，这样一种藏宝图般的设计，能激发你的好奇心，带领你更进一步地深入探索。

★ **图画细致精美** 本系列的每一本书的画面都气势恢弘，场面宏大，很具观赏性，同时又相当细致，画中即使有几十个人物，也能做到个个栩栩如生，都有不同的动作和表情。很多建筑都进行局部切开，方便看到内部结构。这样的剖面图设计，可以培养你的审美能力和立体感。

★ **语言娓娓动听** 本系列均由英美文学专业硕士翻译，北师大英美文学博士导师审定，语言流畅，娓娓动听，与图画相得益彰，让你有穿越时空、身临其境之感。其中很多名词术语都经过译者和编辑仔细核实和反复推敲，保证了在科学性的基础上达到很高的文学性。

Youpi 小百科系列（10本 全彩）

"Youpi"是法语中小孩表示兴奋的惊叹词，相当于"哇，真棒！"Youpi 小百科系列是法国最受欢迎的儿童百科读物。书中包含了丰富的动物、植物、自然、科技等内容，带领小读者观察世界，学习各种好玩而又实用的知识。每一本书都包含六个主题，通过拉页的方式，让小读者们惊喜地发现其中隐藏的有趣知识，也可以满足小朋友动手体验的渴望，激发探索事物的好奇心。

丰富有趣的内容，是探索科学的最佳读物

你知道长颈鹿的舌头是黑色的吗？抹香鲸能潜入海洋最深处，是最棒的潜水冠军呢！你注意到水有时能在空中跳跃吗？中世纪的骑士如何比武？未来的汽车是什么样子？Youpi 系列用最简单、最有趣的方式，带领小读者了解世界的秘密。

独特的编排设计，激发探索的欲望

在每一本书中，醒目的主题图片都呈现在两个单页上，双手拉开这两个单页，就会惊喜的发现里面相连的四页中藏着丰富有趣的知识。

生动精彩的图文，好玩有益的实验，让你手脑并用

每一个主题都搭配大量的图画，用写实的画法或者精致的照片，将每一个主题最重要的特点完整地表现出来。文字简洁幽默，让小读者轻松吸收相关信息。在每个主题的最后一页，以幽默可爱的漫画进行更详细的补充，用生活中的常见物品来讨论与主题相关的常识，非常容易理解；同时，也安排了简易有趣的小实验，让你可以动手操作，比如：怎样给鸟儿制作鸟巢，怎样让下沉的物体上浮等等。

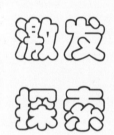

请在这儿写下你与昆虫之间的故事吧：